Juliana Landreville

Madame
BAVARDE

Collection MADAME

Mr. Men   Little Miss

Madame BAVARDE

Roger Hargreaves

hachette
JEUNESSE

Madame Bavarde parlait beaucoup.

Elle parlait tout le temps.

À longueur de jour et de semaine,
à longueur de mois et d'année.

Sans s'arrêter !

Elle ignorait qu'elle parlait
même en dormant !

Madame Bavarde avait un frère.

Tu devines son nom ?

Oui, c'est cela !

Monsieur Bavard !

Ils se ressemblent, n'est-ce pas ?

Ah, si tu les avais entendus
quand ils étaient ensemble !

Impossible de placer trois mots,

ni deux,

ni un !

Monsieur Bavard parlait
comme un moulin à paroles.

Sa sœur, elle, parlait
comme deux moulinettes à paroles !

Cette histoire commence le jour
où elle décida de chercher du travail.

Elle trouva un emploi.
Dans une banque
du Pays du Sourire.

Un lundi, à dix heures du matin,
monsieur Heureux entra
à la Banque Nationale du Sourire.

Il rédigea un chèque à son nom
et se rendit à un guichet pour tirer de l'argent.

Derrière ce guichet,
se tenait madame Bavarde.

Elle sourit à monsieur Heureux,
qui lui rendit son sourire.

— Bonjour, dit-il.

— Bonjour, répondit madame Bavarde,

et elle prit son souffle...

— Quel beau temps pour la saison
mais sans doute pas aussi beau
que celui d'hier et moins beau assurément
que celui de demain bien que ce soit
un très beau temps pour un lundi matin
quand on pense que...

Et patati et patata...

Jusqu'à trois heures de l'après-midi !

Monsieur Heureux était
toujours derrière le guichet, bouche bée de stupéfaction.

Il y était depuis cinq heures !

— Bon, dit enfin madame Bavarde,
c'est l'heure de la fermeture de la banque
et celle de rentrer chez moi
et de vous dire au revoir
et que je suis ravie
de cette petite causette avec vous...

Et elle rentra chez elle,

laissant ce pauvre monsieur Heureux
sans argent.

Le lendemain, madame Bavarde
était renvoyée de la banque.

Elle trouva un autre emploi.

Au restaurant « La Bonne Soupe ».

À midi, monsieur Glouton entra
à « La Bonne Soupe »
et s'assit à sa place habituelle.

Il venait manger là chaque mardi
car c'était le jour où l'on servait
les repas les plus copieux.

La serveuse vint prendre sa commande.

– Qu'y a-t-il de bon aujourd'hui ?
lui demanda monsieur Glouton.

— Eh bien, dit madame Bavarde

(c'était elle la serveuse),
il y a de la salade de tomate
et du poulet grillé
et du canard laqué
et du lapin en gelée et de la ratatouille
et des épinards et bien d'autres bonnes
choses encore comme des frites et...

Et patati et patata...

Jusqu'à minuit !

Monsieur Glouton était toujours là,
cloué sur sa chaise de stupéfaction.
Il y était depuis douze heures !

— Bon, dit enfin madame Bavarde,
c'est l'heure de la fermeture du restaurant
et celle de rentrer chez moi
et de vous dire au revoir
et que je suis ravie
de cette petite causette avec vous...

Et elle rentra chez elle,

laissant ce pauvre monsieur Glouton
le ventre creux.

Le lendemain matin, elle était renvoyée !

Toute la semaine, ce fut pareil.

Le mercredi, madame Bavarde trouva un autre emploi.

Vendeuse de chapeaux.

Madame Beauté entra dans la boutique
pour s'acheter un nouveau chapeau,
mais repartit les mains vides.

– Chère madame, nous avons un chapeau
qui vous ira à ravir et que vous adorerez
car il est de ce rose qui sied
si bien à votre teint qui est...

Et patati et patata...

Les paroles s'envolent et les chapeaux restent !

Le jeudi, elle était renvoyée et devenait
la secrétaire de monsieur Malpoli.

Monsieur Malpoli ne se contentait pas
d'être malpoli, il était riche
et gagnait beaucoup d'argent.

Mais ce jour-là, il ne fit pas fortune.

— Je n'ai jamais travaillé dans un bureau
et j'en suis si ravie que je vais
vous servir une tasse de café
mais si vous êtes aussi riche qu'on le dit
vous préférerez peut-être que...

Et patati et patata...

Les paroles s'envolent et le travail reste à faire!

Malgré tout,
cette histoire se termine très bien
pour madame Bavarde.

Elle a fini par trouver un emploi.

Elle est au septième ciel,

et peut-être même au huitième.

Le samedi soir,
monsieur Bavard était chez lui,
au « Moulin à paroles ».

Il avait rendez-vous avec madame Bonheur
à sept heures et se demandait quelle heure
il pouvait être car sa montre s'était arrêtée.

Il décida donc de téléphoner
à l'horloge parlante.

Il composa le numéro.